Beowulf

Dhe mënyra se si ai luftoi Grendelin
- një Mit Anglo-Sakson

Beowulf

And how he fought Grendel
-an Anglo-Saxon Epic

Anglo-Saksonët erdhën në brigjet Britanike në shekullin e katërt.
Beowulfi është epika më e hershme evropiane e shkruajtur në gjuhën popullore të Anglishtes së Vjetër (Anglo-Saksone). I vetmi dorëshkrim i poemës epike që ka mbijetuar është shkruar në shek. X, megjithëse ngjarjet mendohet të jenë zhvilluar në shek. VI. Poema përmban referenca vendesh, njerëzish dhe ngjarjesh të vërteta, megjithëse nuk ka asnjë evidencë historike që vetë Beowulfi të ketë ekzistuar. Gitët ishin suedezët jugorë, dhe ngjarjet në këtë histori zhvillohen në Danimarkë. J R R Tolkien ka qenë Profesor i gjuhës Anglo-Saksone në universitetin e Oksfordit dhe ai është mbështetur në historinë e Beowulfit dhe në mitologjinë Anglo-Saksone kur ka shkruajtur librin *Zoti i Unazave*.
Shpresohet që ky version i thjeshtësuar i një pjese të mitit të Beowulfit do të frymëzojë lexuesit të shikojnë origjinalin madhështor.

The Anglo-Saxons came to the British shores in the fourth century.
Beowulf is the earliest known European vernacular epic written in Old English (Anglo-Saxon). The only surviving manuscript of the epic poem dates from the tenth century, although the events are thought to have taken place in the sixth century. The poem contains references to real places, people and events, although there is no historical evidence to Beowulf himself having existed.
The Geats were the southern Swedish people and the events in this story take place in Denmark.
The late J R R Tolkien was Professor of Anglo-Saxon at Oxford and he drew on *Beowulf* and Anglo-Saxon mythology when he wrote *Lord of the Rings*.
It is hoped that this simplified version of part of the Beowulf legend will inspire readers to look at the magnificent original.

Some Anglo-Saxon kennings and their meanings:

Flood timber or swimming timber - ship   *Ray of light in battle* - sword
Candle of the world - sun   *Play wood* - harp
Swan road or swan riding - sea

Text copyright © 2004 Henriette Barkow
Dual language & Illustrations copyright © 2004 Mantra Lingua
All rights reserved
A CIP record for this book is available
from the British Library.

First published 2004 by Mantra Lingua
5 Alexandra Grove,
London N12 8NU
www.mantralingua.com

Beowulf

Beowulf

Adapted by Henriette Barkow
Illustrated by Alan Down

Albanian translation by Viola Baynes

MANTRA

A e dëgjuat?

Thuhet se nëqoftëse ka shumë biseda dhe shumë të qeshura, Grendeli do të vijë dhe do t'ju rrëmbejë. A nuk keni dëgjuar për Grendelin? Atëherë mendoj që nuk keni dëgjuar as për Beowulfin. Dëgjoni me kujdes dhe do t'ju tregoj historinë e luftëtarit më të madh Git dhe mënyrën se si ai luftoi përbindëshin e keq, Grendelin.

Did you hear that?

They say that if there is too much talking and laughter, Grendel will come and drag you away. You don't know about Grendel? Then I suppose you don't know about Beowulf either. Listen closely and I will tell you the story of the greatest Geat warrior and how he fought the vile monster, Grendel.

Më shumë se një mijë vjet më parë, Mbreti Danez, Hrothgari, vendosi të ndërtonte një sallë të madhe për të kremtuar fitoret e luftëtarëve të tij besnikë. Kur salla u mbarua ai ia vuri emrin Heorot dhe shpalli që ajo do të bëhej një vend për festimet dhe për dhënien e dhuratave. Heoroti ngrihej lart mbi peisazhin e shkretuar kënetor. Anët e çatisë së saj mund të shiheshin nga shumë larg.

More than a thousand years ago the Danish King Hrothgar decided to build a great hall to celebrate the victories of his loyal warriors. When the hall was finished he named it Heorot and proclaimed that it should be a place for feasting, and for the bestowing of gifts. Heorot towered over the desolate marshy landscape. Its white gables could be seen for miles.

Një natë të errët pa hënë, Hrothgari mbajti banketin e tij të parë të madh në sallën kryesore. Për të gjithë luftëtarët dhe gratë e tyre kishte ushqimin dhe birrë nga më e mira. Atje kishte madje edhe muzikantë dhe këngëtarë.

On a dark and moonless night Hrothgar held his first great banquet in the main hall. There was the finest food and ale for all the warriors and their wives. There were minstrels and musicians too.

Tingujt e tyre të gëzueshëm dëgjoheshin nëpër të gjitha kënetat e deri në ujërat e kaltra të errëta, ku banonte një qenie e keqe.

Grendeli – dikur njeri, por tani një krijesë mizore dhe e etur për gjak. Grendeli – tani jo njeri, por ende me disa tipare njerëzore.

Their joyous sounds could be heard all across the marshes to the dark blue waters, where an evil being lived.

Grendel - once a human, but now a cruel and bloodthirsty creature. Grendel - no longer a man, but still with some human features.

Grendeli u inatos shumë nga tingujt e ngazëllimit
që vinin nga salla. Më vonë atë natë, kur mbreti dhe mbretëresha
kishin shkuar në dhomat e tyre, dhe të gjithë luftëtarët po flinin gjumë,
Grendeli erdhi tinëzisht përmes kënetave të buta me ujë. Kur ai erdhi
tek dera e gjeti të mbyllur me tra. Me një goditje të fuqishme ai shtyu
derën dhe e hapi. Tani Grendeli ishte brenda.

Grendel was much angered by the sounds of merriment that came from the hall.
Late that night, when the king and queen had retired to their rooms, and all the
warriors were asleep, Grendel crept across the squelching marshes. When he reached
the door he found it barred. With one mighty blow he pushed the door open. Then
Grendel was inside.

Atë natë, në atë sallë, Grendeli vrau tridhjetë nga luftëtarët më trima të Hrothgarit. Ai ua theu qafat me duart e tij si kthetra, dhe piu gjakun e tyre, para se të ngulte dhëmbët e tij në mishin e tyre. Kur asnjëri prej tyre nuk kishte mbetur gjallë, Grendeli u kthye në shtëpinë e tij të errët dhe të mbytur, nën dallgët e ujërave.

That night, in that hall, Grendel slaughtered thirty of Hrothgar's bravest warriors. He snapped their necks with his claw like hands, and drank their blood, before sinking his teeth into their flesh. When none were left alive Grendel returned to his dark dank home beneath the watery waves.

Në mëngjes salla u mbush me qarje dhe vajtime. Pamja e gjakderdhjes së Danezëve më të fortë dhe më trima e mbushi vendin me një trishtim të thellë plot dëshpërim.

Për dymbëdhjetë dimra të gjatë Grendeli vazhdoi të sulmonte dhe të vriste të gjithë ata që i afroheshin Heorotit. Trima nga shumë fise u përpoqën të luftonin kundër Grendelit, por armatimi i tyre ishte i padobishëm kundër këtij të ligu.

In the morning the hall was filled with weeping and grieving. The sight of the carnage of the strongest and bravest Danes filled the land with a deep despairing sadness.

For twelve long winters Grendel continued to ravage and kill any who came near Heorot. Many a brave clansman tried to do battle with Grendel, but their armour was useless against the evil one.

Historitë e akteve të tmerrshme të Grendelit u përhapën shumë larg. Më në fund ato erdhën tek Beowulfi, luftëtari më i fuqishëm dhe më fisnik i popullit të tij. Ai u betua që do ta vriste përbindëshin e keq.

The stories of the terrible deeds of Grendel were carried far and wide. Eventually they reached Beowulf, the mightiest and noblest warrior of his people. He vowed that he would slay the evil monster.

Beowulfi lundroi me katërmbëdhjetë nga fisnikët e tij besnikë deri tek bregu Danez. Kur mbërritën, rojet bregdetare i sfiduan: "Ndal kush guxon të mbërrijë! Ç'punë keni në këto brigje?"

"Unë jam Beowulfi. Kam dalë në vendin tuaj për të luftuar Grendelin për mbretin tuaj Hrothgar. Prandaj nxitoni dhe më çoni tek ai," urdhëroi ai.

Beowulf sailed with fourteen of his loyal thanes to the Danish shore. As they landed the coastal guards challenged them: "Halt he who dares to land! What is thy calling upon these shores?"

"I am Beowulf. I have ventured to your lands to fight Grendel for your king, Hrothgar. So make haste and take me to him," he commanded.

Beowulfi arriti në Heorot dhe vështroi të gjithë peisazhin e shkretë. Atje, diku, gjendej Grendeli. Me zemër plot vendosmëri ai u kthye dhe hyri në sallë.

Beowulf arrived at Heorot and surveyed the desolate landscape. Grendel was somewhere out there. With resolve in his heart he turned and entered the hall.

Beowulfi u prezantua para mbretit. "Hrothgar, Mbret i vërtetë dhe fisnik i Danezëve, ky është premtimi im: unë do të zhduk Grendelin për ju."

"Beowulf, unë kam dëgjuar për aktet tuaja trime dhe forcën tuaj të madhe por Grendeli është më i fortë se çdo qenie e gjallë që ju keni hasur ndonjëherë," iu përgjigj mbreti.

"Hrothgar, unë jo vetëm që do të luftoj dhe mund Grendelin, por këtë do ta bëj vetëm me duar, pa armë," kështu Beowulfi e siguroi mbretin. Shumë menduan që kjo ishte një krekosje e kotë, sepse ata nuk kishin dëgjuar për forcën e tij të madhe dhe aktet e tij trime.

Beowulf presented himself to the king. "Hrothgar, true and noble King of the Danes, this is my pledge: I will rid thee of the evil Grendel."

"Beowulf, I have heard of your brave deeds and great strength but Grendel is stronger than any living being that you would ever have encountered," replied the king.

"Hrothgar, I will not only fight and defeat Grendel, but I will do it with my bare hands," Beowulf assured the king. Many thought that this was an idle boast, for they had not heard of his great strength and brave deeds.

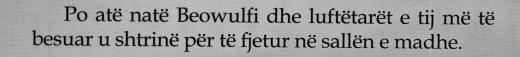

Po atë natë Beowulfi dhe luftëtarët e tij më të besuar u shtrinë për të fjetur në sallën e madhe.

That very night Beowulf and his most trusted warriors lay down to sleep in the great hall.

Kur drita u venit, Grendeli çau rrugën nëpër tokën kënetore drejt sallës, duke mos kuptuar që atë natë etja e tij për gjak nuk do të kënaqej.

Grendeli shpërtheu në sallë. Ai rrëmbeu një luftëtar nga stoli i tij, ia theu qafën dhe piu gjakun e tij, dhe pastaj e flaku anash.

As the light dimmed, Grendel made his way across the marshy ground to the hall not realising that tonight his bloodthirsty cravings would not be satisfied.

Grendel burst into the hall. He wrenched a warrior from his bench, snapped his neck and drank his blood, and then tossed him aside.

Ai vazhdoi drejt stolit tjetër dhe kapi atë njeri.
Kur ai ndjeu rrokjen e Beowulfit ai kuptoi që kishte
hasur në një fuqi po aq të madhe sa fuqia e tij.

He moved on to the next bench and grabbed that man. When he felt
Beowulf's grip he knew that he had met a power as great as his own.

"Kurrë më, ti qenie e keqe!"
urdhëroi Beowulfi. "Unë do të të
luftoj deri në vdekje. E mira do të fitojë."
    Grendeli u hodh përpara për të kapur fytin e
luftëtarit por Beowulfi kapi krahun e tij. Kështu ata u
zunë në luftim për vdekje. Secili ziente nga dëshira për të vrarë tjetrin.
Më në fund, me një lëvizje të vrullshme, duke përdorur të gjithë forcën
që kishte, Beowulfi hoqi dhe shkëputi krahun e Grendelit.

"No more, you evil being!" commanded Beowulf. "I shall fight you to the death.
Good shall prevail."
    Grendel lunged forward to grab the warrior's throat but Beowulf grabbed his arm.
Thus they were locked in mortal combat. Each was seething with the desire to kill the
other. Finally, with a mighty jerk, and using all the power within him, Beowulf ripped
Grendel's arm off.

Një klithmë e tmerrshme përshkoi ajrin e natës ndërsa Grendeli u largua me hapa të penguara, duke lënë pas një gjurmë gjaku. Ai kaloi kënetat e mjegullta për herën e fundit, dhe vdiq në shpellën e tij nën ujërat e vrenjtura të kaltra dhe të errëta.

A terrible scream pierced the night air as Grendel staggered away, leaving a trail of blood. He crossed the misty marshes for the last time, and died in his cave beneath the dark blue murky waters.

Beowulfi ngriti krahun e shkëputur lart mbi kokë që të shihej nga të gjithë dhe shpalli: "Unë, Beowulfi, kam mundur Grendelin. E mira ka triumfuar mbi të keqen!"

Kur Beowulfi ia paraqiti Hrothgarit krahun e Grendelit mbreti u gëzua dhe i dha falenderime. "Beowulf, më i madhi i burrave, që sot e tutje, unë do të të dua si bir dhe do të të jap pasuri."

Një festë e madhe u porosit për atë natë për të kremtuar disfatën që Beowulfi i kishte dhënë armikut të Hrothgarit.

Por gëzimi kishte ardhur shumë shpejt.

Beowulf lifted the arm above his head for all to see and proclaimed: "I, Beowulf have defeated Grendel. Good has triumphed over evil!"

When Beowulf presented Hrothgar with Grendel's arm the king rejoiced and gave his thanks: "Beowulf, greatest of men, from this day forth I will love thee like a son and bestow wealth upon you."

A great feast was commanded for that night to celebrate Beowulf's defeat of Hrothgar's enemy.

But the rejoicing came too soon.

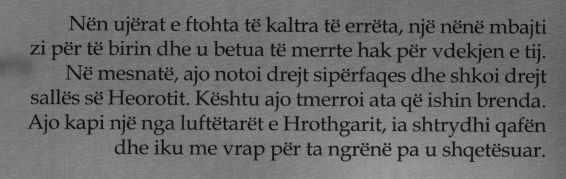

Nën ujërat e ftohta të kaltra të errëta, një nënë mbajti
zi për të birin dhe u betua të merrte hak për vdekjen e tij.
Në mesnatë, ajo notoi drejt sipërfaqes dhe shkoi drejt
sallës së Heorotit. Kështu ajo tmerroi ata që ishin brenda.
Ajo kapi një nga luftëtarët e Hrothgarit, ia shtrydhi qafën
dhe iku me vrap për ta ngrënë pa u shqetësuar.

Të gjithë kishin harruar që Grendeli kishte një nënë.

Under the deep blue chilling waters a mother mourned her
son and vowed to avenge his death. In the middle of the
night, she swam to the surface and made the journey to
the hall of Heorot. Here she terrorised those within.
She grabbed one of Hrothgar's warriors, wrung
his neck and ran off to devour him in peace.

All had forgotten that Grendel had a mother.

Edhe një herë Heoroti u mbush me tingullin e vajtimit, por edhe të zemërimit.

Hrothgari thirri Beowulfin në dhomën e tij, dhe përsëri Beowulfi premtoi të bënte betejë: "Unë do të shkoj dhe do ta mund nënën e Grendelit. Kjo vrasje duhet të marrë fund."

Me këto fjalë ai mblodhi katërmbëdhjetë luftëtarët e tij fisnikë dhe doli me kalë drejt shtëpisë ujore të Grendelit.

Once more Heorot was filled with the sound of mourning, but also of anger.

Hrothgar summoned Beowulf to his chamber, and once more Beowulf pledged to do battle: "I will go and defeat Grendel's mother. The killing has to stop." With these words he gathered his fourteen noble warriors and rode out towards Grendel's watery home.

Ata e ndoqën përbindëshen nëpër këneta deri sa arritën tek disa shkëmbinj të lartë. Këtu ata panë një pamje të tmerrshme: kokën e luftëtarit të vrarë që varej nga një pemë pranë ujërave të përgjakura.

They tracked the monster across the marshes until they reached some cliffs. There a terrible sight met their eyes: the head of the slain warrior hanging from a tree by the side of the blood stained waters.

Beowulfi zbriti nga kali dhe veshi armatimin e tij. Me shpatë në dorë ai u zhyt në ujin e zymtë. Ai notoi poshtë e më poshtë deri sa, pas shumë orësh, ai arriti tek fundi. Atje ai doli ballë për ballë me nënën e Grendelit.

Beowulf dismounted from his horse and put on his armour. With sword in hand he plunged into the gloomy water. Down and down he swam until after many an hour he reached the bottom. There, he came face to face with Grendel's mother.

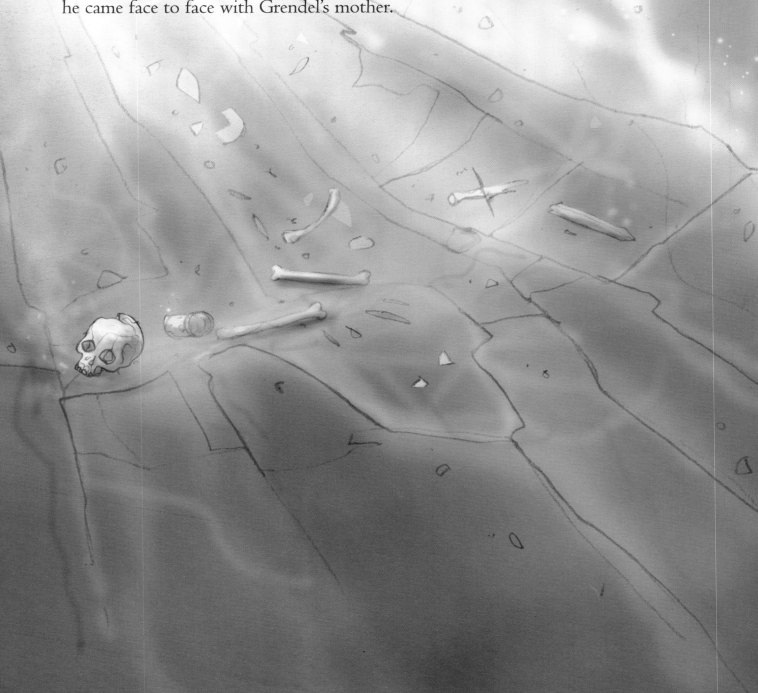

Ajo u hodh drejt tij, dhe duke e shtrënguar me kthetrat e saj, ajo e tërhoqi në shpellën e saj. Po të mos ishte armatimi ai me siguri do të kishte mbaruar.

She lunged at him, and clutching him with her claws, she dragged him into her cave. If it had not been for his armour he would surely have perished.

Brenda shpellës Beowulfi nxori shpatën, dhe me një goditje të fuqishme i ra asaj mbi kokë. Por shpata u hodh prapa dhe nuk la asnjë shenjë. Beowulfi flaku shpatën. Ai kapi përbindëshen për supesh dhe e hodhi përtokë. Oh, por në atë çast Beowulfi u pengua dhe përbindëshja e keqe nxori kamën e saj dhe e shpoi Beowulfin.

Within the cavern Beowulf drew his sword, and with a mighty blow struck her on the head. But the sword skimmed off and left no mark. Beowulf slung his sword away. He seized the monster by the shoulders and threw her to the ground. Oh, but at that moment Beowulf tripped, and the evil monster drew her dagger and stabbed him.

Beowulfi ndjeu majën e kamës kundrejt armatimit të tij, por tehu nuk e përshkoi. Menjëherë ai u rrokullis anash. Ndërsa u ngrit me vështirësi në këmbë ai pa shpatën më madhështore, që ishte farkëtuar nga gjigantët. Ai e nxori nga këllëfi dhe uli tehun me vrull mbi nënën e Grendelit. Ajo nuk mund të mbijetonte dot një goditje kaq përshkuese, dhe ajo ra e vdekur përtokë.

Shpata u shkri në gjakun e saj të nxehtë dhe të keq.

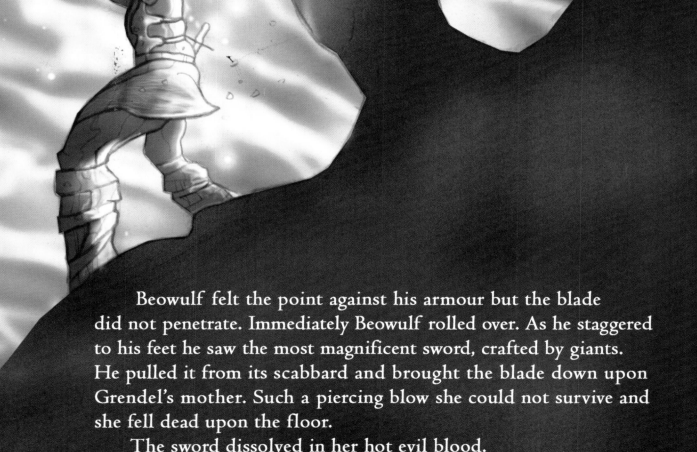

Beowulf felt the point against his armour but the blade did not penetrate. Immediately Beowulf rolled over. As he staggered to his feet he saw the most magnificent sword, crafted by giants. He pulled it from its scabbard and brought the blade down upon Grendel's mother. Such a piercing blow she could not survive and she fell dead upon the floor.

The sword dissolved in her hot evil blood.

Beowulfi vështroi rreth e rrotull dhe pa thesaret që Grendeli kishte grumbulluar. Kufoma e Grendelit ishte shtrirë në një cep. Beowulfi iu afrua trupit të qenies së keqe dhe ia preu kokën Grendelit.

Beowulf looked around and saw the treasures that Grendel had hoarded. Lying in a corner was Grendel's corpse. Beowulf went over to the body of the evil being and hacked off Grendel's head.

Duke mbajtur kokën si dhe dorezën e shpatës ai notoi drejt sipërfaqes së ujërave ku shokët e tij besnikë po prisnin me ankth. Ata u gëzuan nga pamja e heroit të tyre të madh dhe e ndihmuan të zhvishte armatimin. Ata kalëruan së bashku drejt Heorotit, duke mbajtur kokën e Grendelit në majën e një shkopi.

Holding the head and the hilt of the sword he swam to the surface of the waters where his loyal companions were anxiously waiting. They rejoiced at the sight of their great hero and helped him out of his armour. Together they rode back to Heorot carrying Grendel's head upon a pole.

Beowulfi dhe katërmbëdhjetë luftëtarët e tij fisnikë ua prezantuan Mbretit Hrothgar dhe mbretëreshës së tij kokën e Grendelit dhe dorezën e shpatës së tij.

Atë natë u mbajtën shumë fjalime. Së pari Beowulfi tregoi për luftën e tij dhe për vdekjen që gati e rrëmbeu poshtë ujërave të akullta.

Atëherë Hrothgari ripërtëriu mirënjohjen e tij për gjithçka që ishte bërë: "Beowulf, mik besnik, unë po të jap këto unaza, ty dhe luftëtarëve të tu. E madhe do të jetë fama jote sepse na çlirove ne Danezët nga këta të këqinj. Tani le të fillojnë festimet."

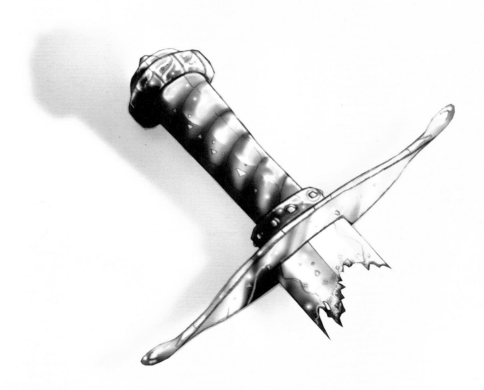

Beowulf and his fourteen noble warriors presented King Hrothgar and his queen with Grendel's head and the hilt of the sword.

There were many speeches that night. First Beowulf told of his fight and near death beneath the icy waters.

Then Hrothgar renewed his gratitude for all that had been done: "Beowulf, loyal friend, these rings I bestow upon you and your warriors. Great shall be your fame for freeing us Danes from these evil ones. Now let the celebrations begin."

Dhe ata festuan shumë. Ata që u mblodhën në Heorot patën festën më të madhe që kishin patur ndonjëherë. Atë hëngrën dhe pinë, kërcyen dhe dëgjuan tregimet e lashtësisë. Që nga ajo natë e sipër të gjithë fjetën të sigurt në krevatet e tyre. Nuk kishte më asnjë rrezik të fshehur përtej kënetave.

And celebrate they did. Those gathered in Heorot had the biggest feast there had ever been. They ate and drank, danced and listened to the tales of old. From that night forth they all slept soundly in their beds. No longer was there a danger lurking across the marshes.

Pas disa ditësh Beowulfi dhe njerëzit e tij u bënë gati për të nisur me anije për tek atdheu i tyre. Të ngarkuar me dhurata dhe një miqësi midis Gitëve dhe Danezëve, ata u larguan drejt shtëpive të tyre.

Por çfarë ndodhi me Beowulfin, më të madhin dhe më fisnikun e Gitëve? Ai pati shumë eksperienca të tjera dhe luftoi shumë monstra.

Por ky është një tregim tjetër për t'u treguar një herë tjetër.

After a few days Beowulf and his men prepared to set sail for their homeland. Laden with gifts and a friendship between the Geats and the Danes they sailed away for their homes.

And what became of Beowulf, the greatest and noblest of Geats? He had many more adventures and fought many a monster.

But that is another story, to be told at another time.